C000294590

La tour Eiffel

a des ailes

Loi n° 49-956 du 16 juillet 1949 sur les publications destinées à la jeunesse,
modifiée par la loi n° 2011-525 du 17 mai 2011
ISBN 978-2-09-255363-3 – Dépôt légal : mars 2014
N° éditeur : 10221771
Achevé d'imprimer en janvier 2016 par Pollina (85400 Luçon, France) - L74652

La tour Eiffel a des ailes

Mymi Doinet
Aurélien Débat

Nathan

Aujourd'hui, comme chaque jour,
la tour Eiffel a reçu la visite de touristes
venus des quatre coins du monde.

À son tour, la belle rêve de vacances.
–Moi aussi je veux voir du pays !
murmure-t-elle.

Du haut de ses 324 mètres, la tour Eiffel
attend que Paris s'endorme.

Puis la géante remonte à grands pas
l'avenue des Champs-Élysées,
et elle invite l'Arc de Triomphe :
– Viens te balader avec moi, mon ami,
nous rentrerons au petit matin, c'est promis !

–Non, non, non! bougonne l'Arc de Triomphe.
Demain c'est le 14 juillet, je dois me reposer
avant le défilé.

Puisque c'est ainsi, la tour Eiffel
file seule sur les boulevards.
Et hop !

Elle sort de Paris, en sautant par-dessus
la grande arche de la Défense.

La voici maintenant dans les prairies
de Normandie !

Face à ses quatre pieds grands
comme un squelette de diplodocus,
les vaches meuglent :
– Sauvons-nous d'ici, ce dinosaure
va manger nos pissenlits !

Taratata ! La tour Eiffel a mieux à faire
que de croquer de la salade amère.

Là-bas sous les étoiles, la géante
vient d'apercevoir une plage,
et elle rit en glissant sur les dunes :
– Je vais prendre mon premier bain de mer !

La tour Eiffel fait trempette.

Mais difficile de flotter avec un corps d'acier qui pèse le poids de 1 500 éléphants !

Dans l'eau, les phoques de la baie encerclent la nageuse débutante, et la rassurent :

– Nous allons te servir de bouée !

Soudain, une terrible tempête se prépare.
Perdus dans la nuit, les pêcheurs crient
à bord de leurs bateaux :

–Au secours, nous allons nous fracasser contre le mont Saint-Michel !

Aussitôt, la tour Eiffel se redresse.
Haute comme 64 girafes,
elle fait clignoter sa tête.

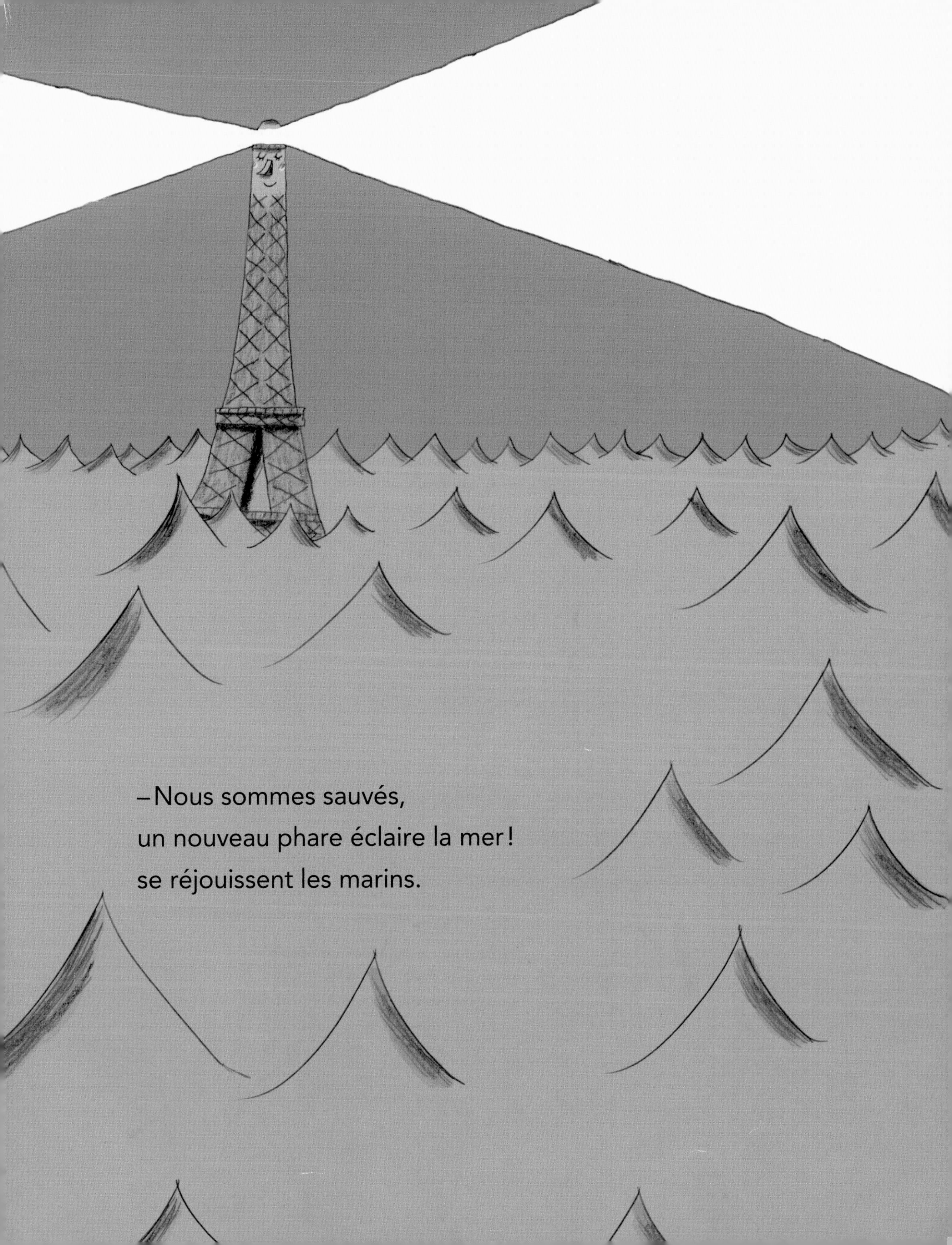

–Nous sommes sauvés,
un nouveau phare éclaire la mer!
se réjouissent les marins.

La tour Eiffel continue d'illuminer les flots jusqu'au lever du soleil.

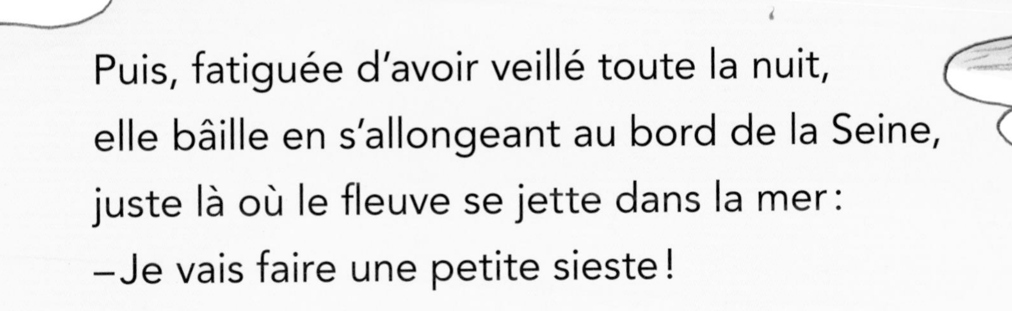

Puis, fatiguée d'avoir veillé toute la nuit,
elle bâille en s'allongeant au bord de la Seine,
juste là où le fleuve se jette dans la mer :
–Je vais faire une petite sieste !

Quel sommeil !
La tour Eiffel dort si profondément
qu'elle ne voit pas passer les coureurs
du Tour de France.

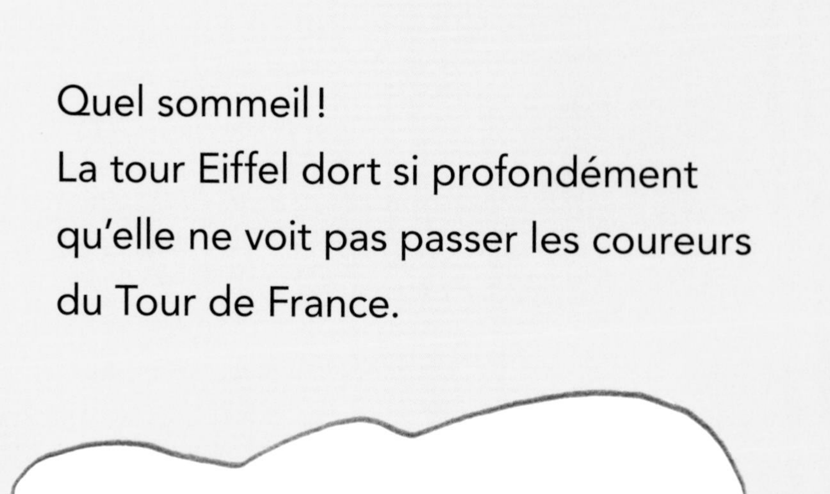

En tête de la course, le maillot jaune sifflote :
– Super, plus de détours à faire
avec ce grand pont de fer !

Quand la tour Eiffel se réveille, il fait grand jour.
Vite, vite ! Il faut qu'elle soit de retour à Paris,
fidèle au poste dès 9 heures
pour compter ses admirateurs !
Alors, zou ! La géante décolle du sol.
En la voyant traverser les nuages,
les oiseaux croient rêver.
– La tour Eiffel a des ailes !
chantent-ils.

Pendant ce temps-là, personne ne s’est rendu compte de son absence, car un épais nuage de brouillard recouvre tout Paris.

Du coup, quand la belle atterrit,
les touristes s'écrient en levant la tête :
– C'est fou, on dirait
que la tour Eiffel a bougé !

Le soir venu, bang! bang!
La journée se termine en fanfare
avec le grand feu d'artifice du 14 juillet.

Puis tout redevient calme,
et la tour Eiffel se dit :
– Cette nuit, cap sur le mont Blanc,
j'ai envie de faire du ski !